LE BISON

ISBN 978-2-211-21153-6
Première édition dans la collection *lutin poche* : février 2013
© 2011, l'école des loisirs, Paris
Loi numéro 49 956 du 16 juillet 1949 sur les publications
destinées à la jeunesse : septembre 2011
Dépôt légal : décembre 2020
Imprimé en France par Clerc SAS à Saint-Amand-Montrond

CATHARINA VALCKX

LE BISON

les lutins de l'école des loisirs
11, rue de Sèvres, Paris 6ᵉ

Billy et son père décortiquent tranquillement
des noisettes fraîches.
«Papa, c'est quoi cette corde, là, au clou?»
demande Billy.
«Cette corde?» répond son père, «c'est mon lasso.»
«Je peux l'essayer?» demande Billy.
«Si tu veux», dit son père. «Un bon cow-boy,
comme moi, peut capturer n'importe quel animal
avec un lasso.»
«Ah oui? Même un bison?» demande Billy.
Son père lève les yeux au ciel.
«Un bison! Il ne faut pas exagérer.
Le jour où un hamster attrapera un bison au lasso,
je mangerai mon chapeau.»

Pendant que son père fait du feu pour griller les noisettes, Billy
décroche la corde et rejoint son ami Jean-Claude, le ver de terre.

«J'ai besoin de toi pour m'exercer au lasso», lui dit-il.

«Je veux essayer d'attraper un bison.»

Jean-Claude le regarde.

«Ce n'est pas un peu trop gros pour toi, un bison?»

«C'est ce qu'on va voir», dit Billy. «Mets-toi là.
On va dire que tu es un bison.»
«Là?»
«Un peu plus près», dit Billy.
Jean-Claude se rapproche.
«Lève bien la tête. Je fais tourner mon lasso… et hop!»

«Raté», rigole Jean-Claude.

«À quoi vous jouez?» demande Josette, qui passe par là.

«Billy s'exerce au lasso», explique Jean-Claude.

«Il veut attraper un bison, alors je fais le bison.

Oui, je sais, je ne suis pas très ressemblant.»

«Ça, je peux te le dire», dit Josette.

«Je viens justement d'en voir un.»

«Ah oui?» Billy enroule sa corde. «Où est-ce que tu l'as vu?»

«Il est en train de boire dans la rivière, tout près d'ici.»

«Allons-y», dit Billy.

En effet, un magnifique bison
se rafraîchit dans la rivière.
«Oh là là, mais il est énorme!» s'exclame Billy.
«C'est bien ce que je te disais», dit Jean-Claude.
«Tu es bien trop minuscule pour l'attraper.»
«J'ai une idée», dit Billy. «Je vais grimper dans l'arbre.
Je l'attraperai du haut de la branche. Ce sera beaucoup plus facile.»
«Euh… oui», dit Jean-Claude, pas très convaincu.

Billy grimpe dans l'arbre.

«Jean-Claude!» crie-t-il. «Le bison est trop loin.
Tu peux le faire venir sous l'arbre? Tu n'as qu'à lui dire que…
je ne sais pas, moi. Invente quelque chose.»

Jean-Claude soupire.

«D'accord. Je vais voir ce que je peux faire.»

Jean-Claude s'étend au pied de l'arbre et se met à gémir,
comme s'il était blessé. « **Au secours ! À l'aide !** »
Le bison tourne la tête.
« **Au secours ! Je meurs !** »
Ça marche. Le bison s'approche. Il se penche vers Jean-Claude.
« Ça ne va pas, petit ? » dit-il de sa grosse voix.

« Il faut qu'il lève la tête ! » crie Billy.

Le bison lève la tête pour voir qui a crié *Il faut qu'il lève la tête*, et, juste à ce moment-là, Billy lance son lasso.

«Je l'ai!» s'exclame Billy. «Jean-Claude, je l'ai!»

«Euh… je me sens beaucoup mieux, tout à coup»,
dit Jean-Claude. «Je vais vous laisser.»

Le bison secoue sa grosse tête et regarde Billy dans les yeux.

Les bisons n'aiment pas du tout sentir un lasso autour de leur cou.

«Tu crois vraiment pouvoir me capturer, petit bout d'chou?

Eh bien, accroche-toi, tu vas faire un peu de rodéo!»

Le bison s'élance au galop.

«Ouille», dit Josette. «Je n'ose pas regarder.

Ça va mal se terminer!»

«On se demande qui a attrapé qui, finalement»,

dit Jean-Claude.

Infatigable, le bison continue sa course folle.
«S'il te plaît!» crie Billy, à bout de forces. «Arrête-toi!»
Le bison, qui n'est pas un mauvais bougre, s'arrête.
Pile. Tellement pile que Billy est propulsé comme
une fusée. Il fait un grand vol plané et atterrit…

… dans une fleur de cactus.

Le bison sourit en voyant Billy se débattre dans les pétales.

«Tu es bien tombé, heureusement. Mais quelle idée aussi de vouloir m'attraper?»

«Je veux être un super-cow-boy», dit Billy. «Mon papa dit que jamais un hamster n'a attrapé un bison.»

Le bison éclate de rire. «Ah ah ! Je vois ! Et où est-il, ton papa ? »
«À la maison. Tu veux venir ? Il y a des noisettes grillées.»
«Mmm. J'adore. Monte sur mon dos. Je vais te raccompagner.»

En chemin, le bison passe prendre Jean-Claude et Josette.
«Papa», dit Billy fièrement en arrivant à la maison,
«j'ai attrapé un bison au lasso et je l'ai invité à goûter.»

Le père de Billy se demande s'il rêve.

«Un bison! Ce n'est pas possible!»

«Ça sent drôlement bon, vos noisettes», dit le bison.

Le père de Billy, encore tout stupéfait,
sert les noisettes grillées à point.
«Alors, papa», demande Billy d'un air malicieux,
«maintenant que j'ai capturé un bison,
tu vas manger ton chapeau?»
Le père de Billy sourit.
«Ah oui, c'est vrai, j'ai dit ça. Mais j'ai peur
que mon chapeau ne soit pas mangeable.»
«Je peux vous aider», dit le bison, qui a fini ses noisettes.
Et hop, d'un grand coup de langue, il attrape le chapeau
du père de Billy et l'avale aussi sec.
Tout le monde éclate de rire.
«Cha alors!» rigole Jean-Claude, la bouche pleine.
«Chapeau, meuchieu le bichon!»